# 中华人民共和国工业和信息化部

# 公　　告

2015 年　第 28 号

工业和信息化部批准《低温先导式呼吸阀》等 876 项行业标准（标准编号、名称、主要内容及起始实施日期见附件 1），其中机械行业标准 286 项、汽车行业标准 17 项、船舶行业标准 19 项、航空行业标准 5 项、化工行业标准 24 项、冶金行业标准 58 项、有色金属行业标准 146 项、稀土行业标准 16 项、石化行业标准 7 项、轻工行业标准 73 项、民爆行业标准 10 项、电子行业 77 项、通信行业标准 138 项；批准《中性墨水圆珠笔和笔芯》等 2 项轻工行业标准修改单（见附件 2）；批准《铝合金 6061 光谱单点标准样品》等 12 项有色金属行业标准样品（标准样品目录及成分含量表见附件 3）。行业标准修改单及行业标准样品自发布之日起实施。

以上机械行业标准由机械工业出版社出版，船舶行业标准由中国船舶工业综合技术经济研究院组织出版，航空行业标准由中国航空综合技术研究所组织出版，化工行业产品标准由化工出版社出版，冶金行业标准由冶金工业出版社出版，有色金属、稀土行业标准由中国标准出版社出版，石化行业标准由中国石化出版社出版，轻工行业标准由中国轻工业出版社出版，化工及有色金属工程建设行业标准、汽车行业标准由中国计划出版社出版，民爆行业标准由中国兵器工业标准化研究所组织出版，电子行业标准由工业和信息化部电子工业标准化研究院组织出版，通信行业标准由人民邮电出版社出版，通信工程建设行业标准由北京邮电大学出版社出版。

附件：17 项汽车行业标准编号、标准名称和起始实施日期。

**中华人民共和国工业和信息化部**

二〇一五年四月三十日

**附件：**

## 17 项汽车行业标准编号、标准名称和起始实施日期

| 序号 | 标准编号 | 标　准　名　称 | 被代替标准编号 | 起始实施日期 |
|---|---|---|---|---|
| 287 | QC/T 991—2015 | 乘用车　轻合金车轮 90°冲击试验方法 | | 2015-10-01 |
| 288 | QC/T 717—2015 | 汽车车轮跳动要求和检测方法 | QC/T 717—2004<br>ISO 16833:2006,MOD | 2015-10-01 |
| 289 | QC/T 52—2015 | 垃圾车 | QC/T 52—2000 | 2015-10-01 |
| 290 | QC/T 652—2015 | 吸污车 | QC/T 652—2000 | 2015-10-01 |
| 291 | QC/T 992—2015 | 市政工程救险车 | | 2015-10-01 |
| 292 | QC/T 993—2015 | 爆炸物品运输车 | | 2015-10-01 |
| 293 | QC/T 994—2015 | 背罐车 | | 2015-10-01 |
| 294 | QC/T 995—2015 | 液压驱动模块运输车 | | 2015-10-01 |
| 295 | QC/T 764—2015 | 道路车辆　液压制动系统　单喇叭口金属管、螺纹孔、螺纹接头及软管端部接头 | QC/T 764—2006 | 2015-10-01 |
| 296 | QC/T 239—2015 | 商用车辆行车制动器技术要求及台架试验方法 | QC/T 239—1997<br>QC/T 479—1999 | 2015-10-01 |
| 297 | QC/T 996—2015 | 汽车空气干燥器技术要求及台架试验方法 | | 2015-10-01 |
| 298 | QC/T 997—2015 | 客车全承载整体框架式车身结构要求 | | 2015-10-01 |
| 299 | QC/T 998—2015 | 汽车空调滤清器技术条件 | | 2015-10-01 |
| 300 | QC/T 999—2015 | 汽车用分流式机油滤清器总成技术条件 | | 2015-10-01 |
| 301 | QC/T 1000.1—2015 | 汽车滤清器用非织布性能要求和测试方法　第 1 部分:乘驾室空气滤清器用 | | 2015-10-01 |
| 302 | QC/T 1000.2—2015 | 汽车滤清器用非织布性能要求和测试方法　第 2 部分:空气滤清器用 | | 2015-10-01 |
| 303 | QC/T 1001—2015 | 汽车用机油滤清器过滤性能的评定　颗粒计数法 | | 2015-10-01 |

# 目　　次

# 前　言

本标准依据 GB/T 1.1—2009《标准化工作导则　第1部分:标准的结构和编写》给出的规则起草。

本标准由全国汽车标准化技术委员会(SAC/TC 114)提出并归口。

本标准起草单位:长春科德宝·宝翎滤清器有限公司、科德宝·宝翎无纺布(苏州)有限公司、东莞市海莎过滤器有限公司、蚌埠凤凰滤清器有限责任公司。

本标准主要起草人:王柏孚、李建民、薄源、丁明明、韦毅、吕秀芳、陈仪娜、高阳、陈登宇。

# 汽车空调滤清器技术条件

## 1 范围

本标准规定了汽车空调滤清器的技术条件、检验规则以及标志、包装、运输和贮存规范。

本标准适用于体积(长×宽×高)不小于0.0008$m^3$的乘驾室用颗粒式空调滤清器和多效空调滤清器。

## 2 规范性引用文件

下列文件对于本标准的应用是必不可少的。凡是注日期的引用文件,仅注日期的版本适用于本标准。凡是不注日期的引用文件,其最新版本(包括所有的修改单)适用于本标准。

GB 8410 汽车内饰材料的燃烧特性

GB/T 28957.1 道路车辆 用于滤清器评定的试验粉尘 第1部分:氧化硅试验粉尘

QC/T 795.1—2007 道路车辆 乘驾室用空气滤清器 第1部分:粉尘过滤的测试

QC/T 795.2—2007 道路车辆 乘驾室用空气滤清器 第2部分:气体过滤的测试

DIN 75201 汽车装饰材料挡风玻璃的雾气凝结性能的测定

ISO 12103 道路车辆 用于滤清器评价的粉尘试验

VDA 270 汽车内饰材料气味散发性要求

## 3 术语和定义

QC/T 795.1—2007、QC/T 795.2—2007界定的以及下列术语和定义适用于本标准。

3.1

**汽车空调滤清器 cabin air filter**

用来过滤汽车乘驾室内部空间流通空气及通过空调系统从车外引入乘驾室内空气中的杂质和有害气体的装置。又称乘驾室用空气滤清器,汽车空调过滤器,汽车空调滤芯等。

3.2

**颗粒式空调滤清器 particle filter**

用来分离和储存空气流中有形微粒的汽车空调滤清器。又称灰尘过滤器,花粉过滤器,单效过滤器等。

3.3

**多效空调滤清器 combination filter**

用来分离、储存和吸附空气流中有形微粒、有害气体和异味的汽车空调滤清器。又称活性炭过滤器、多效过滤器等。

3.4

**雾翳性　fogging**

指在一定条件下,汽车内饰件中挥发性物质在挡风玻璃及其他玻璃上凝结成的一层薄薄的涂层,从而降低可见度的一种现象。

3.5

**气味性　odour characteristics**

材料或零部件在规定的温度和气候条件存放时释放出具有明显可辨别气味的挥发性组分。

## 4　要求

4.1　总则

汽车空调滤清器应按照规定程序批准的产品图样和技术文件制造,其技术条件应符合本标准的规定。若客户已有技术要求,则按要求执行。

4.2　禁用物质及限用物质的要求

所用材料中涉及的禁用物质及限用物质应符合全球汽车申报物质清单(GADSL)的规定,并在IMDS或CAMDS中申报。

4.3　材料燃烧性

所用材料燃烧速度应不大于100mm/min。

4.4　材料雾翳性

所用材料雾翳性能应符合表1的规定。

**表1　材料雾翳性能**

| 反射率测试法 | 增重法 |
|---|---|
| 反射率,% | 冷凝物质量,mg |
| ≥90 | ≤3 |

4.5　材料气味

所用材料气味等级应不大于3级。

4.6　性能

4.6.1　汽车空调滤清器性能指标分类。

4.6.1.1　颗粒式空调滤清器性能指标分成Ⅰ类、Ⅱ类、Ⅲ类。

4.6.1.2　多效空调滤清器性能指标分成Ⅰ类、Ⅱ类。

4.6.1.3　类别选择根据汽车空调系统对空气净化的要求,考虑到过滤面积、过滤介质、空调机的功率、成本等因素,由汽车空调滤清器的供需双方协商确定,并在产品图样中体现。同一个汽车空调滤清器产品的各项性能必须对应相同的类别。

4.6.2　颗粒式空调滤清器的性能。

4.6.2.1　初始压力降。

在不同试验空气流量下,颗粒式空调滤清器初始压力降应符合表2中相应类别的规定。

表2 不同试验空气流量下Ⅰ类、Ⅱ类、Ⅲ类的初始压力降

| 试验空气流量,$m^3/h$ | 初始压力降,Pa | | |
|---|---|---|---|
| | Ⅰ类 | Ⅱ类 | Ⅲ类 |
| 150 | ≤12 | ≤15 | ≤20 |
| 300 | ≤30 | ≤42 | ≤50 |
| 450 | ≤55 | ≤72 | ≤85 |
| 600 | ≤85 | ≤110 | ≤130 |

4.6.2.2 分级过滤效率。

在试验空气流量为$300m^3/h$条件下,使用GB/T 28957.1中定义的A2灰测试,颗粒式空调滤清器分级过滤效率应符合表3中相应类别的规定。

表3 Ⅰ类、Ⅱ类、Ⅲ类的分级过滤效率

| 粒子光学直径,μm | 分级过滤效率,% | | |
|---|---|---|---|
| | Ⅰ类 | Ⅱ类 | Ⅲ类 |
| 0.3 | ≥25 | ≥60 | ≥75 |
| 0.5 | ≥30 | ≥63 | ≥80 |
| 1 | ≥40 | ≥68 | ≥85 |
| 3 | ≥53 | ≥75 | ≥90 |
| 5 | ≥65 | ≥82 | ≥92 |
| 10 | ≥80 | ≥90 | ≥95 |

4.6.2.3 储灰量。

在试验空气流量为$300m^3/h$条件下,使用GB/T 28957.1中定义的A2灰或A4灰测试,当压力降上升了200Pa时,颗粒式空调滤清器储灰量应符合表4中相应类别的规定。

表4 Ⅰ类、Ⅱ类、Ⅲ类的储灰量

| 试验用灰 | 储灰量,g | | |
|---|---|---|---|
| | Ⅰ类 | Ⅱ类 | Ⅲ类 |
| A4灰 | ≥22 | ≥30 | ≥36 |
| A2灰 | ≥8 | ≥10 | ≥12 |

4.6.3 多效空调滤清器的性能。

4.6.3.1 初始压力降。

不同试验空气流量下,多效空调滤清器初始压力降应符合表5中相应类别的规定。

表5　不同试验空气流量下Ⅰ类、Ⅱ类的初始压力降

| 试验空气流量，$m^3/h$ | 初始压力降，Pa | |
|---|---|---|
| | Ⅰ类 | Ⅱ类 |
| 150 | ≤25 | ≤30 |
| 300 | ≤60 | ≤70 |
| 450 | ≤110 | ≤130 |
| 600 | ≤180 | ≤220 |

4.6.3.2　分级过滤效率。

在试验空气流量为 $300m^3/h$ 条件下，使用 GB/T 28957.1 中定义的 A2 灰测试，多效空调滤清器分级过滤效率应符合表6中相应类别的规定。

表6　Ⅰ类、Ⅱ类的分级过滤效率

| 粒子光学直径，μm | 分级过滤效率，% | |
|---|---|---|
| | Ⅰ类 | Ⅱ类 |
| 0.3 | ≥60 | ≥65 |
| 0.5 | ≥65 | ≥70 |
| 1 | ≥75 | ≥80 |
| 3 | ≥80 | ≥90 |
| 5 | ≥85 | ≥92 |
| 10 | ≥90 | ≥95 |

4.6.3.3　储灰量。

在试验空气流量为 $300m^3/h$ 条件下，使用 ISO 12103 定义的 A4 灰或 A2 灰测试，当压力降上升了 200Pa 时，多效空调滤清器储灰量应符合表7中相应类别的规定。

表7　Ⅰ类、Ⅱ类的储灰量

| 试验用灰 | 储灰量，g | |
|---|---|---|
| | Ⅰ类 | Ⅱ类 |
| A4 灰 | ≥25 | ≥40 |
| A2 灰 | ≥9 | ≥14 |

4.6.3.4　气体吸附性能。

在试验空气流量为 $150m^3/h$ 条件下，Ⅰ类应符合表8的规定，Ⅱ类应符合表9的规定。

表 8　Ⅰ类气体吸附性能

| 测试气体 | 吸附效率,% | | | 吸附容量,g |
|---|---|---|---|---|
| | 零时效率 | 1min 效率 | 5min 效率 | |
| 正丁烷 | ≥45 | ≥20 | ≥10 | ≥0.8 |
| 甲苯 | ≥70 | ≥60 | ≥40 | ≥11 |
| 二氧化硫(选用) | ≥65 | ≥40 | ≥20 | ≥1.5 |

表 9　Ⅱ类气体吸附性能

| 测试气体 | 吸附效率,% | | | 容污量,g |
|---|---|---|---|---|
| | 零时效率 | 1min 效率 | 5min 效率 | |
| 正丁烷 | ≥80 | ≥45 | ≥25 | ≥2 |
| 甲苯 | ≥90 | ≥85 | ≥80 | ≥19 |
| 二氧化硫(选用) | ≥90 | ≥75 | ≥45 | ≥3 |

### 4.7　外观

汽车空调滤清器表面无破损、杂质及污渍。滤材与外框无脱离现象。

### 4.8　耐温性

汽车空调滤清器经耐温试验后,滤材与外框应无脱离、开胶。空调滤清器长、宽、高尺寸偏差应不大于初始尺寸的1%。

## 5　试验方法

### 5.1　燃烧性

燃烧性试验按 GB 8410 的规定。

### 5.2　雾翳性

雾翳性试验按 DIN 75201 的规定。

### 5.3　气味性

气味性试验按 VDA 270 的规定。

### 5.4　性能试验

5.4.1　测试设备。

测试设备应完全符合 QC/T 795.1 第 5 章和 QC/T 795.2 第 7 章的设备要求。

5.4.2　试验方法。

5.4.2.1　颗粒式空调滤清器性能试验按 QC/T 795.1 第 6 章至第 9 章进行。

5.4.2.2　多效空调滤清器性能试验按 QC/T 795.1 第 6 章至第 9 章和 QC/T 795.2 第 8 章至第 12 章进行。吸附容量测试终止条件:正丁烷和甲苯为样件出风面的气体浓度达到进风面气体浓度的95%;二氧化硫为从零时起的 60min。

5.5 外观

外观质量采用目测检验。

5.6 耐温性

5.6.1 高温试验:将汽车空调滤清器滤芯放置在85℃ ±1℃恒温箱内,恒温24 h后取出并观察试验结果。

5.6.2 低温试验:将汽车空调滤清器滤芯放置在-40℃ ±1℃恒温箱内,恒温24 h后取出并观察试验结果。

## 6 检验规则

6.1 总则

每只产品应经质量检验部门检验合格,并附有产品合格证方能出厂。

6.2 检验类别

分为出厂检验与型式试验。

6.3 出厂检验

检验项目为外形尺寸和4.4的要求。

6.4 型式试验

如遇下列情况之一时,应进行型式试验:

a) 新产品定型鉴定时;

b) 正常生产后,如生产场地、生产设备、结构、材料、工艺有较大改变,可能影响产品性能时;

c) 正常生产时,应一年进行一次检验;

d) 出厂检验结果与上次型式试验结果有较大差异时;

e) 国家质量监督机构提出进行型式试验要求时;

f) 停产半年以上,恢复生产时。

6.4.1 型式试验的检验项目为4.1、4.2、4.3、4.4、4.5、4.6、4.7、4.8。

6.4.2 试验样品在合格品中抽取,颗粒式空调滤清器抽样数量最少4件,多效空调滤清器抽样数量最少5件。也可由供需双方商定。

## 7 标志、包装、运输和贮存

7.1 除用户的特殊要求外,每只产品上应注明:

a) 厂标或商标;

b) 产品零件号;

c) 气流方向;

d) 生产日期或批次。

7.2 每只产品包装前不应有二次污染。

7.3 颗粒式空调滤清器应具有防尘包装,多效空调滤清器应具有防尘、密封包装。

7.4 包装材料应能保证产品在正常运输中不致损伤,除用户的特殊要求外,包装箱外应标明:

a) 生产单位名称、地址和电话号码;

b） 产品名称、型号；

c） 出厂日期、数量和毛质量；

d） 包装箱的外形尺寸，长×宽×高，单位 mm；

e） “防潮”、“小心轻放”等标志。

7.5 包装完好的产品应存放在通风和干燥的仓库内。